"Extraña acrobacia de un ovillo humano, en una extraña danza incitante y artística, que no admite referencias ni comparaciones con ninguna otra danza de todos los tiempos y de todos los pueblos."

Vicente Rossi, 1926

La Editorial agradece a Nené Weil, Esther Barugel, Nicolás Rubió, Eduardo Ungar, Georgie Berczely y Omar Sosa y Cristina Fontana su generosa ayuda.

Otros títulos de la colección MAIZAL

Argentrip
Argentina's on-line travel guide
www.argentrip.com

Diseño: Christian le Comte y Sophie le Comte
© Mónica G. Hoss de le Comte, 2000

Hecho el depósito que previene la ley 11.723
ISBN 987-97899-4-6
Editado por Maizal
Muñiz 438, B1640FDB, Martínez
Buenos Aires Argentina
E–mail: info@maizal.com

Impreso en marzo de 2007.
Impreso por RR Donnelley

Mónica Gloria Hoss de le Comte

El Tango

MAIZAL
EDICIONES

El origen de la palabra tango

La palabra tango es de origen africano. En algunos dialectos africanos tango quiere decir lugar de reunión. A fines del siglo XVIII los negros descendientes de los esclavos llaman tango a los lugares donde se reúnen para hacer música y bailar.

"Mi Buenos Aires querido"
Carlos Gardel

Candombe
(Grabado)

En 1770 el Virrey Juan José de Vertiz emite un bando para limitar los excesos de los bailes de los negros que habían pasado de ser tímidas reuniones a ser fiestas demasiado ruidosas.

Se ha dicho también que *tan–go* imita el golpe del instrumento de percusión usado por los negros para marcar el ritmo de sus candombes. El candombe era un baile de complicada e improvisada coreografía y con un ritmo muy marcado que los negros bailaban separados y cuyas contorsiones fueron imitadas más adelante por los compadritos (ver página 24) con ánimo de burla, introduciendo estos pasos al bailar el tango.

"El día que me quieras"
Carlos Gardel

Historia del tango

"La Taba"
A. Villoldo, A. Bellomo
Tapas de partituras

"Sacudime la persiana"
V. Loduca

"Mi noche triste"
P. Contursi, S. Castriota

"Antes era una orgiástica diablura,
hoy es una manera de caminar."
Jorge Luis Borges, 1930

Los orígenes del tango deben buscarse alrededor de 1870 cuando, en los arrabales de Buenos Aires (ver página 30), se empiezan a mezclar diversas danzas y canciones de muy distinto origen.

Los marineros cubanos que navegaban la ruta comercial entre el Caribe y el Río de la Plata trajeron la habanera, un baile lento en ritmo de ²/₄.

Las payadas, largas improvisaciones con acompañamiento de guitarra, cantadas en las pulperías en el medio del campo, se habían convertido en milongas al llegar a las orillas de la ciudad traídas por los gauchos desplazados del campo. La milonga era una danza muy popular bailada por los compadritos y se la considera la antepasada más cercana del tango.

Pero el tango no sólo tiene sangre de habaneras, de payadas y de milongas.

En la segunda mitad del siglo XIX llegaron a Buenos Aires compañías de teatro españolas que en sus funciones muchas veces incluyeron habaneras y tangos andaluces. Los tangos andaluces eran variaciones de habaneras más alegres y desenfadados.

A todo esto hay que sumarle la contribución de los negros y sus candombes con ritmos y pasos improvisados y también la música italiana. Esta fue traída por la inmigración, que aportó además de su facilidad para ejecutar diversos instrumentos, su amor por el canto.

El tango nació entonces en el arrabal de Buenos Aires; tiene algo de candombe, mucho de habanera, restos de milonga y tangos andaluces y un poco de música italiana.

Los primeros tangos se empezaron a escuchar probablemente en varios lugares a la vez, tocados por músicos que iban de un burdel a otro y tardó mucho tiempo hasta que fue bailado en los patios de los conventillos (ver página 31), y mucho más aún, en entrar a la casas de familias de clase media.

"Romántico bulincito"
E. Diseo, A. Gentile

"La Cumparsita"
P. Contursi,
G. Matos Rodriguez

"Araca Paris"
C. Lenzi, R. Collazo

Pero si bien se había originado en prostíbulos y ambientes semidelincuentes con músicos como el negro Casimiro o el mulato Sinforoso, lentamente el tango empezó a salir del arrabal.

*Tapa de partitura
"Araca París"*

El 24 de Marzo de 2000 fue inaugurada en Buenos Aires una estatua de Carlos Gardel de Mariano Pagés. Fue ubicada cerca del Abasto, el viejo mercado central de Buenos Aires. En esta ocasión, la orquesta dirigida por Osvaldo Piro tocó tangos de Gardel y le Pera.

Muchos jóvenes de acomodada situación empezaron a acercarse a los barrios marginales donde se divertían en los prostíbulos o se enredaban en peleas, porque pelearse también podía ser una diversión.

Allí aprendieron a bailar el tango.

Y fueron algunos de estos jóvenes que llevaron el tango a París, donde hace furor en las pistas de baile en los años 1913 y 1914.

Este baile exótico que las parejas bailan juntas, es inmediatamente adoptado por los parisinos quienes lo convierten en una moda avasalladora.

Todo es tango en París: se pone de moda la falda tango con un largo tajo para facilitar el paso, el color tango: un naranja amarillento; aparecen postres tango, tés tango, fiestas tango.

Italia, Alemania, Inglaterra no se quieren quedar atrás y adoptan rápidamente la moda de París. Profesores argentinos inauguran academias en toda Europa y en 1914 llevan el tango a Estados Unidos.

A pesar de la fascinación que ejerce sobre tanta gente, el tango tiene también muchos detractores que critican al tango por ser una danza desenfadada y sensual. El Káiser llegó a prohibir el tango a sus oficiales mientras estuvieran de uniforme. En París una condesa escandalizada dijo: "¿No habría que estar acostados para bailar el tango?"

Anónimo, 1925

En 1963 se crea la Academia Porteña del Lunfardo, presidida por José Gobello y en 1990 se crea la Academia Nacional del Tango integrada por compositores, poetas, historiadores y coleccionistas. La preside Horacio Ferrer.

Aníbal Troilo (1914–1975), el Bandoneón Mayor de Buenos Aires, tuvo su primera orquesta ya en 1937 y su gran mérito fue la elección de los músicos, cantantes (Alberto Marino, Edmundo Rivero, Roberto Goyeneche) y arregladores. Fue un importante compositor y director de orquesta, pero Troilo será recordado siempre como el mejor bandoneonista de todos los tiempos.

Después del éxito en París, el tango vuelve a la Argentina y las orquestas típicas se mudan del burdel al cabaret del centro. El famoso dúo Gardel–Razzano canta por primera vez en el Armenonville, uno de los primeros restaurantes–cabaret con pista de baile que tuvo Buenos Aires.

La Guardia Vieja, como se llama a los músicos entre 1880 y 1920 no eran músicos con instrucción académica (Roberto Firpo, Agustín Bardi, Francisco Canaro, Eduardo Arolas); hijos de inmigrantes italianos en su mayoría, improvisaban con sus instrumentos. Su gran mérito es haber hecho crecer y haber hecho conocer el tango tanto en Europa como en América.

En 1920 empieza un movimiento renovador, los músicos tienen ya educación musical y aparece el tango–canción, que es dramático y tristón.

Cuando Julio de Caro dirige su Sexteto (piano, dos violines, dos bandoneones y un contrabajo) en 1924 se inaugura la Guardia Nueva.

En la orquesta se introducen la polifonía y el contrapunto, y casi no hay lugar para la improvisación. Además de de Caro entre los evolucionistas están Osvaldo Fresedo, Juan Carlos Cobián y Pedro Maffia.

En los años 30 las orquestas se agrandan y sus intérpretes se popularizan a través de la radio y de las grabaciones. Es la época de Juan de Dios Filiberto y Juan D'Arienzo. Sus tangos son más alegres y pensados para que el público los pueda bailar. El éxito del tango es masivo.

La década del 40 es de Aníbal Troilo y Osvaldo Pugliese.

A partir de 1950 empieza la llamada Vanguardia, liderada por Astor Piazzolla, Atilio Stampone y Horacio Salgán. Las grandes orquestas son reemplazadas por grupos más reducidos, se comienzan a dar conciertos de tango. Es la era de los solistas sobresalientes.

En 1985 se estrena con inmenso éxito en Broadway, "Tango Argentino", un espectáculo de Claudio Segovia y Héctor Orezzoli. La producción se mostró más tarde en todo el mundo y puso nuevamente de moda al tango, que pasó a ser sinónimo de refinamiento y sofisticación. Era la segunda vez que el tango hacía furor en los Estados Unidos. La primera vez había sido llevado por Rodolfo Valentino, que lo bailó vestido de gaucho en los años 20.

Edouard Malouze
"Le Tango"
1919

El tango se baila hoy en todo el mundo, desde Japón hasta Buenos Aires y gracias a Piazzolla, ha entrado en la sala de conciertos: el Cuarteto Kronos, Mstislav Rostropovich, Daniel Barenboim, Yo Yo Ma, Gidon Kremer, suelen incluir tangos en su repertorio.

En Buenos Aires hay hoy un renacimiento del tango. Al 11 de diciembre (fecha del nacimiento de Gardel) se lo ha declarado Día Nacional del Tango.

En diciembre de 1999 los porteños (habitantes de Buenos Aires), se encontraron con las orquestas de tango en vivo (Horacio Salgán, Color Tango, Alberto Castillo) y muchos salieron a bailar a la calle.

Carlos Gardel (1887–1935)

"Gardel es mío, te lo presto un ratito."
Horacio Ferrer

Carlos Gardel fue el hijo de Marie Berthe Gardes. Aparentemente nació en Toulouse, Francia. La fecha de su nacimiento no se conoce aunque su libreta de enrolamiento dice que nació en Tacuarembó una ciudad del Uruguay el 11 de Diciembre de 1887. No hay noticias ciertas de su vida antes de 1912.

Su vida de cantor comienza en el bar O'Rondemann en el barrio del Abasto cantando canciones del repertorio criollo: cielitos, zambas y tonadas.

En diciembre de 1913 el estanciero y político Pancho Taurel lo oye cantar y lo lleva al Armenonville, el cabaret más elegante de Buenos Aires. El éxito es inmediato. Cuentan que cuando le dicen a Gardel que le van a pagar 70 pesos por noche, Gardel dice: "por ese dinero también lavo los platos." El dúo Carlos Gardel–José Razzano se hace famoso. Gardel, peinado a la gomina y con raya al medio, canta en teatros, en películas, graba innumerables discos, viaja a Francia, donde triunfa en París; a España, a Estados Unidos y se convierte en un símbolo argentino. El tango ya no es solo baile y música, también es canción.

En el año 1925 Gardel canta en una de las estancias más grandes de la Argentina, Huetel, para el príncipe de Gales y el Marajá de Kapurtala quien acompaña a Gardel con su ukelele.

Gardel muere trágicamente en Colombia en un accidente de aviación que nunca terminó de aclararse. Muere en pleno éxito y tan sorpresivamente que inmediatamente se convierte en un mito.

Su luminosa e indestructible sonrisa unida a una gran musicalidad, su personalidad generosa, la bondad de su expresión, la sencillez del trato, lo convierten en un personaje inmortal.

La estructura del tango

Carlos Gardel de Hermenegildo Sabat, Estampilla, 1985

La mayoría de los tangos se estructuran en 2 partes de 16 compases, 2 frases de 8 compases cada una. Su estructura es A B A B.

Si bien al principio hubo tangos en 3 partes (la tercera parte llamada trío), desde 1925, ya no se los escribe más, aunque a veces se le agregan introducciones, puentes y codas.

El compás del tango fue en su origen el ²/₄, el mismo compás de la habanera, pero hoy en día se escribe en ⁴/₄.

Existen tres tipos de tango: el tango–milonga (comúnmente no tiene letra y es fuertemente rítmico), el tango–romanza (tango melódico, sin letra) y el tango canción o tango con letra (melodía simple con letra).

Carlos Gardel de Carlos Alonso, Estampilla, 1985

Nicolás Rubió "Esta noche me emborracho bien", 1995

La orquesta

"La orquesta de tango es más pura y afinada que la de jazz, y el tango mismo, una verdadera obra de arte."
Erich Kleiber, Director en el Teatro Colón (1926–1949)

Julio de Caro y su Sexteto, 1926

En 1924 el sexteto histórico de Julio de Caro (dos violines, dos bandoneones, piano y contrabajo) inaugura la Guardia Nueva.
El tango pasa a ser una pieza genérica, es decir una composición musical con sus reglas formuladas por escrito.
En 1937 son ocho los músicos (tres bandoneones, tres violines, piano y contrabajo) y en los años 60 se le suma la guitarra eléctrica.
La orquesta ya no es un grupo de músicos que tocan al unísono, sino que cada músico individualmente, se empieza a destacar por sus habilidades.

Eduardo Ungar
"Baile en la Calle"

Hay una crónica del año 1913 que dice que el tango era tocado por el negro Casimiro con su violín y el mulato Sinforoso con su clarinete. Posiblemente este singular dúo tocara sin saber leer música, improvisaba y tocaba de oído.

Con el tiempo el dúo paso a ser un trío, flauta, violín y guitarra, tocados por italianos meridionales o sus hijos. Tocaban en teatros, academias (salones de baile públicos) o en los burdeles donde las pupilas bailaban con los clientes. Estos músicos ambulantes tenían que usar, forzosamente, instrumentos transportables. Los primeros tríos además de flauta, violín y guitarra podían ser dos violines y una flauta y los cuartetos que comienzan a aparecer en los primeros años del siglo XX, incorporan al bandoneón, responsable de un tango más triste, más nostálgico, más hondo. El bandoneón desplaza a la flauta. Se forman tríos de bandoneón, violín y guitarra, esta última es desalojada por el piano que le da al tango una coloración más penosa. La orquesta típica está formada por un piano, un violín y un bandoneón.

A veces se le agregó una batería para marcar el ritmo, pero por ser demasiado estridente fue desplazada por el contrabajo que introduce el efecto canyengue: golpear las cuerdas del instrumento con la mano o el arco para producir el ritmo.

En 1916 aparecen los primeros quintetos: piano, dos violines, bandoneón y flauta. Estas orquestas son las que tocan en los cabarets. Sus músicos ya no son del arrabal. Han estudiado música y se visten de smoking.

El bandoneón

*"Cuando toco el ban-
doneón estoy solo, o
con todos, que viene
a ser lo mismo."
Aníbal Troilo
(1914–1975)*

*Sus mejores ejecutan-
tes fueron Eduardo
Arolas, Pedro Maffía,
Pedro Laurenz, Aní-
bal Troilo y Astor
Piazzolla.*

Heinrich Band creó el primer bandoneón en 1846
en Krefeld, Alemania. Este nuevo instrumento era
una concertina mejorada.

Las concertinas habían sido creadas para suplir al
órgano en casamientos al aire libre a principios del
siglo XIX y ya tenían forma hexagonal.

El primer bandoneón tuvo 64 tonos pero llegó a
tener 200 tonos en 5 filas de botones para ambas
manos, tiene voces más graves y más penosas que el
acordeón y no es fácil tocarlo porque según se lo
abra o se lo cierre, su sonido cambia. En su interior
hay dos cajas acústicas y un sistema de lengüetas que
vibran por acción del aire que pasa a presión.

Los más comunes son los de
144 tonos y los mejores los
firmados por su constructor
Alfred Arnold (AA).

Durante muchísimos años
no se fabricaron bandoneones
en el mundo, pero nueva-
mente se ha comenzado con
su producción en Carlsfeld,
Alemania.

El bandoneón llamado el
fuelle en el vocabulario del
tango, desaloja a la flauta en la
orquesta y le da al tango hon-
dura. Es el instrumento per-
fecto para comunicar tristeza,
nostalgia, desarraigo, rezongo,
melancolía, al arrastrar las no-
tas le da al tango la cadencia
justa.

Astor Piazzolla (1921–1992)

*"Estoy harto que todo el mundo
me diga que lo mío no es tango."*
Astor Piazzolla

Astor Piazzolla, nació en Mar de Plata el 11 de marzo de 1921 y pasó sus primeros años en Greenwich Village, Nueva York. Su primer bandoneón se lo regaló su padre cuando tenía 9 años. Cuando vuelve a Buenos Aires, Aníbal Troilo lo acepta en su orquesta y con él se queda hasta que sus tangos, sus arreglos y su música se distancian del estilo de Troilo. Había empezado a escandalizar a los tradicionalistas, "Jamás seré ni pretendo ser de mayorías", advirtió más de una vez, "Escribo una música difícil, no para los que buscan el entretenimiento. Es una música para pensar."

Su polirritmia es heredada de Stravinsky, Villalobos y Bartók. Sus ritmos son frenéticos y novedosos, sus armonías deslumbrantes y audaces. Dijo una vez, "Los oyentes del tango tradicional me odiaron. Yo introduje fugas, contrapuntos y otras irreverencias: la gente pensó que estaba loco. Los críticos de tango dijeron que mi música era paranoica. Así me hicieron popular. Los jóvenes que habían perdido interés en el tango, comenzaron a escucharme."

En 1960 fundó el quinteto Nuevo Tango (bandoneón, piano, violín, guitarra eléctrica y contrabajo) y fue este ensamble el que mejor transmitió sus ideas y emociones.

Con Piazzolla el tango se ha convertido en música de cámara e intérpretes famosos incluyen su música en sus conciertos.

*"Astor Piazzolla"
José Biasutto, 1982*

Los arquetipos del tango

Al principio el tango se bailaba entre hombres. El compadre, el compadrito y el malevo eran los arquetipos más importantes y fueron los primeros que lo bailaron.

"Caminito"
Carlos Gardel

El compadre era una especie de gaucho urbano, temido y envidiado, que a fuerza de autoridad y coraje se había granjeado el respeto de la gente. Su profesión podía ser matarife, carnicero, amansador o guardaespaldas de algún caudillo de comité.

Cumplía siempre con su palabra dada y no dudaba en desenfundar su cuchillo para resolver las cuestiones de honor. Muy independiente y orgulloso, se vestía de negro con un pañuelo al cuello y una chalina de vicuña sobre el hombro.

El compadrito era un imitador del compadre pero sin sus virtudes, siempre dispuesto a la trifulca, era capaz de desenfundar su cuchillo por una mirada de soslayo. Engreído y fanfarrón, con una mirada sobradora y provocativa se hacía respetar a fuerza de gritos. Temeroso de su seguridad personal, vivía haciendo gala de sus conquistas y su fingida temeridad. Se vestía también de negro, pero el saco y el pantalón no eran necesariamente de la misma tela. El saco era cortón, entallado y de altas hombreras y lo usaba desabotonado para poder sacar el cuchillo rápidamente de la sisa de su chaleco. Sus botines tenían taco alto y en el cuello llevaba un pañuelo de seda. Al sombrero gris con cinta negra lo llevaba requintado, y para coronar tanta elegancia tenía siempre un pucho o un escarbadientes en la boca.

"Guitarra mía"
Carlos Gardel

En esta galería, el malevo era el último de la escala. Cobarde, tramposo, de andar insolente y acompasado, el malevo era un resentido social.

Las letras del tango

" ...Podríamos decir que éstas [las letras de tango] forman una inconexa y vasta comédie humaine *de la vida de Buenos Aires."*
Jorge Luis Borges, 1930.

Eduardo Ungar
"La Sentadita"
(Detalle)

Todos los deseos, dolores, sufrimientos, sueños y alegrías del porteño se expresan en el tango. Los temas son relatados con crudo realismo en tres minutos de canción y describen una historia, casi siempre triste, que resume la filosofía del habitante de Buenos Aires. Los primeros tangos bailados en las orillas y originados en los burdeles tenían un texto muy simple. Eran solo coplitas, a menudo pornográficas, que reflejaban la vida del bajo fondo, haciendo especial referencia a las características físicas de los personajes, usando el doble sentido como recurso para la gracia. A principios del siglo xx, muchos tangos fueron monólogos sarcásticos de malevos vanidosos y fanfarrones que se presentan exigiendo ser respetados por sus virtudes,

"No hay ninguno que me iguale
Para enamorar mujeres."

"No hay nadie en el mundo entero
Que baile mejor que yo."

Poco después el tango se hace triste y melancólico. El abandonado se emborracha para olvidar,

"Quiero alegrarme con este vino
Y ver si el vino me hace olvidar."

o ahoga en el llanto su tristeza, lamentándose de su soledad,

"Nada del mundo mi duelo consuela,
Estoy a solas con tu ingratitud."

El origen de tanta tristeza es a menudo la infidelidad de la mujer amada. El amor en el tango siempre termina en traición,

"Mas vino la noche, pasaron los días,
Los meses pasaron y nunca volvió."

Al porteño lo entristece la mujer pecadora que deja su casa de origen humilde y, deslumbrada, se entrega a una vida llena de lujos,

"Ya no sos mi Margarita. ¡Ahora te llaman Margot!"

El personaje del tango es siempre un hombre solo, sin hijos ni padre conocido. Todo el cariño, entonces, está centrado en su madre. Ella es el resumen de todas las virtudes humanas. La madre trabaja para él (casi siempre lavando ropa), está siempre dispuesta a perdonarlo y es la única persona en el mundo que nunca lo va a defraudar,

Eduardo Ungar
"El Círculo"
(Detalle)

"Sólo una madre nos perdona en esta vida
¡Es la única verdad! ¡Es mentira lo demás!"

La tristeza del porteño siempre lo lleva a lamentarse de su suerte, el mundo es indiferente al dolor ajeno,

"Los amigos ya no vienen
Ni siquiera a visitarme,
Nadie quiere consolarme
En mi aflicción."

"Y aquel perrito compañero
Que por tu ausencia no comía,
Al verme solo el otro día
También me dejó."

La vida para el porteño es una experiencia negativa, en su soledad no encuentra el camino. Convencido de que la sociedad le ha creado un ambiente hostil, el hombre se ve en una trampa. El fracaso y la pobreza lo persiguen y su resignado fatalismo no le permite levantar cabeza,

"La sal del tiempo le oxidó la cara."

"No esperes nunca una ayuda,
Ni una mano, ni un favor."

Estos son los principales pasos de tango. La línea punteada muestra los movimientos de los pies de la mujer. Las figuras básicas son fáciles de bailar.

Como no existen límites precisos entre el bien y el mal, los tangos son sarcásticos y reflejan desencanto,

"¡Hoy resulta que es lo mismo
Ser derecho que traidor!
¡Ignorante, sabio, chorro,
Generoso o estafador!"

Ante la falta de una escala de valores, la esperanza no existe,

"Hoy no creo ni en mi mismo. Todo es grupo, todo es falso."

Miguel Ángel Biazzi
"A media luz"

El café es el único lugar donde desahoga sus fracasos y decepciones, en el café encuentra protección,

"Como olvidarte en esta queja,
Cafetín de Buenos Aires
Sí sos lo único en la vida
Que se pareció a mi vieja."

Allí se conversa sobre política, sobre fútbol, sobre las dificultades de ganarse el pan de cada día.

Pero no todo es tristeza y desesperanza. La amistad, virtud del argentino, también es tema de tango,

"Acordate de este amigo que ha de jugarse el pellejo
P'ayudarte en lo que pueda cuando llegue la ocasión."

La Ciudad de Buenos Aires y sus barrios son protagonistas importantes,

"Buenos Aires, la Reina del Plata,
Buenos Aires, mi tierra querida."

Los lugares comunes se repiten constantemente, especialmente en la descripción de la mujer,

"Ibas linda como un sol. Se paraban pa' mirarte."

"Era mi pebeta una flor maleva,
Más linda que un día dorado de sol."

La Boca
En la Boca, Buenos Aires se convierte en Nápoles. Este colorido barrio, donde el Riachuelo desemboca en el Río de la Plata, formó parte del arrabal en el siglo xix.

El tango de hoy ha cambiado y los letristas jóvenes tienen una nueva temática: el celular, el stress, el infarto, el freezer, el shopping, el teflón y los astronautas. El tango ya no es aquel "ronco lamento de un bandoneón", el porteño sabe que a la vida hay que conquistarla día a día,

"Hoy tengo el orgullo de no doblegarme,
De saber que nadie me vende un buzón.
Yo creo en mis brazos, en lo que ellos dan."

ha aprendido a ser feliz. El fútbol, por supuesto, es una de esas alegrías,

"Y ese delirio de seguir mi camiseta
Y la alegría reventando cada gol!"

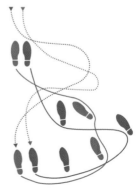

El arrabal

El arrabal es la orilla de la ciudad, allí donde el suburbio se confunde con el campo.

En el arrabal de Buenos Aires, a fines del siglo XIX, había una inmensa mayoría de hombres. Los gauchos, que habían dejado el campo que ya no les permitía una vida trashumante; los empleados de los mataderos y carreteros, que se acercaban a la ciudad con los productos del campo; los marineros llegados al puerto que exportaba cada vez más cueros, más carne y más cereal; los soldados licenciados de la campaña al desierto y los inmigrantes que llegaban a Buenos Aires buscando la solución a todos sus problemas.

*"El Viejo Almacén"
de J. Cannella
Estampilla*

*"El Organillero"
de A. Severi
Estampilla, 1982*

Hotel de Inmigrantes, 1905

Los conventillos

Los conventillos eran edificaciones alargadas con pequeñas habitaciones que rodeaban un patio central. Habían sido en su origen casas de familias acomodadas que se habían mudado a la zona norte de Buenos Aires después de la terrible epidemia de fiebre amarilla en 1871.

La falta de higiene y privacidad, la mezcla de idiomas y costumbres, hicieron del conventillo un sórdido reducto marginal.

Fue en este patio central donde se bailó y se cantó el tango al compás de un organito o de improvisados músicos, con alguna guitarra, violín o flauta.

Inmigrantes
A fines del siglo xix, Buenos Aires recibió gran cantidad de inmigrantes que en 1914 llegaron a ser tres veces más que los porteños. Estos inmigrantes venidos principalmente de Italia y España, eran en su gran mayoría, hombres solos. Todos vivían hacinados en conventillos en el sur de la ciudad, en las orillas, la frontera entre el campo y la ciudad, entre la Pampa y Buenos Aires.

Bailando el tango

"El tango es un pensamiento triste que se baila."
Enrique Santos Discépolo (1901–1951)

Las cantantes de tango más famosas fueron Sofía Bozán, Mercedes Simone, Nelly Omar, Azucena Maizani, Libertad Lamarque, Tania, Tita Merello, María Graña, Amelita Baltar, Eladia Blázquez y Susana Rinaldi.

Posiblemente el éxito y la difusión internacional del tango se deban a la manera en que se baila. Es un baile en el que la mujer y el hombre se enfrentan, bailan cara a cara y fuertemente abrazados "o nos apretamos o nos pisamos".

Si bien se dijo siempre, que el tango es un baile lleno de agresividad y sensualidad, no es tanto la sensualidad como la concentración y la mutua comprensión las que se necesitan para bailarlo.

El tango exige un mínimo de esfuerzo, y el arte es saber arrastrar los pies.

La mujer debe estar muy atenta para seguir al hombre, a su cambiante voluntad, que con una simple presión de su mano en la cintura, dirige a su compañera.

En el tango no hay coreografía, todo se decide en el momento, si el paso es indolente o desganado, insi-nuante, voluptuoso o sensual, si de pronto se suspende el desplazamiento y la pareja se queda quieta, o el que se para es el hombre y la mujer gira a su alrededor o caracolea, si se camina frente a frente o de costado hacia adelante o hacia atrás. En el corte, preludio de una quebrada se corta la marcha, hay una pausa repentina. La quebrada es una contorsión, un quiebre en el cuerpo.

La pareja que baila tango no conversa, la mujer debe estar atenta a las marcas que el hombre usa para indicar su desplazamiento, ella debe intuir la intención del hombre.

Eduardo Ungar
"Dos Hermanas",
(Detalle)
"Tango Club"

Índice

Omar y Cristina en su show de tango

"Éste es el tango, canción de Buenos Aires, nacida en el suburbio, hoy reina en todo el mundo."

Manuel Romero